Wär' er nicht erstanden

Peter Paul Kaspar

WÄR' ER NICHT ERSTANDEN

Zeichen und Symbole im Osterfestkreis

Tyrolia-Verlag · Innsbruck-Wien

Die Deutsche Bibliothek – CIP-Einheitsaufnahme

Kaspar, Peter Paul:
Wär' er nicht erstanden : Zeichen und Symbole im
Osterfestkreis / Peter Paul Kaspar. – Innsbruck ;
Wien : Tyrolia-Verl., 1995

Lithos: Tiroler Repro, Innsbruck
Umschlagmotiv: Initiale aus dem Antiphonar
von Beaupré, Belgien 1290
Umschlaggestaltung: Mag. Elke Staller
Satz, Druck und Bindung: Athesia-Tyrolia Druck, Innsbruck

Inhalt

Einübung ins Sterben

Aschermittwoch

Der Osterfestkreis beginnt dramatisch – wie mit einem Paukenschlag: Bedenke Mensch, daß du Staub bist und wieder zum Staub zurückkehren wirst! Noch in Karnevalslaune und befangen in den Belustigungen des Faschings mit etwas Restalkohol im Blut wird dir brutal der Tod vor Augen gestellt. Und dem klassisch Gebildeten klingt noch der Satz Ciceros im Ohr, daß das ganze Leben des Philosophen ein Bedenken des Todes wäre. Lerne sterben – dann wirst du richtig leben können!

Im Laufe der Jahrhunderte hat sich rund um das wichtigste Fest der Christenheit – um das Osterfest – ein Zeitrahmen von beinahe hundert Tagen gebildet: Vierzig Tage der Umkehr als Vorbereitung und die fünfzig Tage der Osterzeit bis Pfingsten. Mittendrin die Karwoche als „Heilige Woche" mit den eigentlichen Feiern von Leiden, Tod und Auferstehung Jesu, und als betonte „Festwoche" die Oktav vom Ostersonntag bis zum Weißen Sonntag. Da Ostern von der Jahreszeit her mit dem Wiederaufleben der Natur im Frühling verbunden ist, beginnt der Festkreis in den späten Wochen des Winters und endet im Frühsommer. Beinahe ein Drittel des Jahres steht so im Zeichen dieses Festes – so auch jeder Sonntag (als kleines Osterfest).

Um den Termin des Osterfestes, das sich vom jüdischen Paschafest herleitet (Pesach: das Vorübergehen des Todesengels in der Nacht vor dem Exodus, dem Auszug aus der ägyptischen Sklaverei; Ex 12, 25–27), gab es jahrhundertelang einen heftigen Kirchenstreit. Schließlich legte man das Fest auf den Sonntag nach dem ersten Frühlingsvollmond. Die Symbole der wieder-

erwachenden Natur begleiten den Festkreis – von den Palmzweigen über das Ei als Symbol der Fruchtbarkeit bis zu den Pfingstrosen.
Die strengen Fastenregeln des Mittelalters brachten es mit sich, daß man die Zeit vor dem Aschermittwoch umso exzessiver feierte. Der Abschied von Fasching und Karneval erforderte einen markanten Einschnitt. Und so blieb der Aschermittwoch als einer der beiden strengen Fasttage (gemeinsam mit dem Karfreitag) bis heute erhalten – während die anderen Tage (die Freitage des ganzen Jahres und die Wochentage der Fastenzeit) der allgemeinen Nivellierung und der Beliebigkeit des Wohlstands zum Opfer fielen. Das Fastengebot dieser beiden strengen Fasttage besteht heute darin, daß ein erwachsener und gesunder Katholik auf Fleisch verzichten und sich nur einmal am Tag richtig sattessen soll. Der Heringsschmaus am Aschermittwoch und das Fischessen am Karfreitag sind natürlich keine Befolgung, sondern eine Umgehung dieser – ohnehin bescheidenen – Fastenregel.
Das wesentliche Symbol im Gottesdienst des Aschermittwochs ist das Aschenkreuz. Vielen Christen ist das unwesentliche Detail bekannt, daß die Asche aus den Palmzweigen des Vorjahres hergestellt werden soll. Weniger bekannt ist die Herkunft und Bedeutung dieser Geste. Im allgemeinen Sprachgebrauch kennt man vielleicht noch die Redewendung biblischer Herkunft „sich Asche aufs Haupt streuen". Damit war ein altorientalisches Bußritual gemeint, in dem man auf Speise, Trank und Körperpflege verzichtete, sich ärmlich kleidete und Asche aufs Haupt streute – also „in Sack und Asche Buße tat".
Die Fastenzeit hatte eine doppelte Bedeutung: Einerseits war sie für die Täuflinge die Vorbereitungszeit auf ihre Taufe in der Osternacht, andrerseits war sie für die Büßer der Beginn der of-

El Greco, Christus am Ölberg (Ausschnitt)

fiziellen Bußzeit. Wer damals schwerwiegende und öffentlich bekannte Sünden begangen hatte – sogenannte Kapitalsünden –, unterzog sich einer ebenfalls öffentlichen Kirchenbuße. Diese begann an vielen Orten mit einer geradezu dramatisch inszenierten Vertreibung der Büßer aus dem Kirchenraum in Nachahmung der biblischen Vertreibung der Stammeltern aus dem Paradies.

Die äußeren sichtbaren Zeichen des Büßerstatus – Sack und Asche – wurden nun aus Solidarität und Mitleid auch von anderen Christen übernommen und dadurch zum Zeichen der eigenen Bußbereitschaft. So kam es zum Aschenkreuz für alle Gläubigen.

Die Asche selbst ist ein Zeichen der Vergänglichkeit, also des Todes. Sie sollte dem Büßer bewußt machen, in welcher Verfassung er angesichts des Todes vor Gott stehen würde. Asche entsteht durch Verbrennung. In der Zeichensprache der Antike lag darin ein Hinweis auf die Läuterung. Wie man ja auch Metall im Feuer von Verunreinigungen befreite. Auf diese Weise verknüpfen sich die angedeutete Bußbereitschaft mit dem Bedenken des Todes im Symbol der Asche.

Die Allgegenwart des Todes wurde den Menschen am Ende des Mittelalters bei den großen Seuchen, Kriegen und Katastrophen, besonders aber bei den Pestepidemien bewußt. Der Karneval war deshalb in den Zeiten extremer Todesangst oftmals von exzessiver Lebensgier geprägt. Umso dramatischer auch die Bußrituale – bis hin zu öffentlichen Selbstgeißelungen. Die künstlerischen Darstellungen in den alten Mysterienspielen und im Totentanz bezeugen noch heute die Betroffenheit der Zeitgenossen von der Allgegenwart des Todes. In der heutigen Zivilisation des verdrängten Todes wirkt ein Symbol wie das Aschenkreuz verstörend und provozierend. Es stellt letztlich die

Frage, ob unser Leben aus der Perspektive des Todes bestehen und Sinn zeigen kann.
Die alte christliche Übung, in täglicher Gewissenserforschung den Tod zu bedenken, unterscheidet sich wenig vom Rat antiker Philosophen, im Bedenken des Todes leben zu lernen. Es muß keine selbstquälerische und todessüchtige Unternehmung sein, den Tod vor Augen zu haben, wenn man den Sinn seines Lebens bedenkt. Vielleicht ist es sogar die einzige Möglichkeit, sein Leben zu sichten, um inmitten der täglichen Nebensächlichkeiten den Blick für das Wesentliche zu wahren. Wenn der Tod die Stunde der Wahrheit ist, liegt im Bedenken des Todes die Wahrhaftigkeit des Lebens begründet. Deshalb lautet die Botschaft der Asche am Beginn der österlichen Bußzeit: Durch Einübung ins Sterben wirst du leben lernen. Doch das wird dich nicht traurig und niedergeschlagen machen, sondern gelassen und lebensfroh.

Gesund für Seele und Leib

Fastenzeit

Mit großer Selbstverständlichkeit sprechen wir von der vierzigtägigen Fastenzeit. Wer jedoch die Tage im Kalender nachzählt, wird überrascht sein. Fast um eine Woche länger dauert die vorösterliche Bußzeit. Das kommt daher, daß man in früheren Zeiten wohl an allen Wochentagen, nicht jedoch an Sonntagen fastete. Der Sonntag gilt als Feiertag, als Erinnerungstag der Auferstehung, sozusagen als wöchentliches kleines Osterfest. Um auf gezählte vierzig Fasttage zu kommen, begann man mit dem Mittwoch, dem heutigen Aschermittwoch.

Die Fastenbräuche waren nicht zu allen Zeiten gleich. Die gebräuchlichste Regel gebot, auf Fleisch zu verzichten. In strengeren Zeiten kamen alle tierischen Fette und bisweilen auch die Eier und Milchprodukte hinzu. Aber auch der Verzicht auf Tanzunterhaltungen, auf öffentliche „Lustbarkeiten" wie Theateraufführungen, auf die Feier von Hochzeiten war zu manchen Zeiten und an manchen Orten Fastenregel. Sogar die sexuelle Enthaltsamkeit galt bisweilen als Fastengebot. Was hier sehr streng klingt, war durch die sonntägliche Ausnahme etwas gemildert. Auch zeigt sich hierin ein gewisses psychologisches Einfühlungsvermögen dieser alten Fastenkultur: Nach sechs strengen Fasttagen war das wöchentliche Fest des Sonntags nicht nur Entlastung, sondern auch Ansporn für die nächste Wochenetappe.

Leider bezieht sich das Fasten im heutigen Verständnis nur auf das Essen, allenfalls noch auf das Trinken. Doch erst eine ganzheitliche und umfassende Sicht läßt das Wesen des Fastens voll verstehen. In einem Sprachspiel gesagt, geht es darum, die „Lebensmittel" als das zu gebrauchen, was ihr Name meint: Die Dinge des Lebens sind Mittel, um leben zu können. Wenn sie zum Zweck unseres Lebens werden, gefährden sie es. Was dem Menschen dienen soll, darf ihn nicht beherrschen. Wenn der Mensch zum Sklaven jener Dinge wird, die ihm doch eigentlich als Mittel zum Leben dienen sollten, wird er sein Leben verfehlen. Sein Leben wird jenen Sinn verlieren, der auch angesichts des Todes seinen Wert behält.

Es ist verständlich, daß in Kulturen, in denen der Erwerb der täglichen Nahrung für die meisten Menschen im Vordergrund ihres alltäglichen Mühens stand, auch das Fasten um Essen und Trinken kreisen mußte. In wohlhabenden Kulturen schieben sich jedoch andere Güter des täglichen Lebens in den Vordergrund. Und so stehen für viele Menschen heute der Besitz, das Bankkonto, das Auto, ein Hobby oder das Fernsehprogramm derart im Zentrum ihrer Interessen, daß sie nachdenklich werden müßten, wenn sie zu fragen beginnen, wer denn nun wem diente. Eine zeitgemäße Fastenkultur sollte an diesem Punkt ansetzen und versuchen, das Wesentliche des Lebens vom Unwesentlichen zu unterscheiden. Wer vom täglich mehrstündigen Konsumieren des Fernsehprogramms abhängig geworden ist, hat wenig begriffen, wenn er zum Zweck des Fastens Käse statt Wurst aufs Brot legt.

Die Zahl der vierzig Fasttage hat von der Bibel her symbolische Bedeutung: So viele Tage war Mose auf dem Berg Sinai, um die Gebote zu erhalten, war Elija unterwegs zum Berg Horeb, fastete Jesus in der Wüste. Vierzig Jahre dauerte die Wüstenwanderung der Israeliten. Diesen biblischen Vorbildern ist gemeinsam, daß sie Vorbereitungszeiten waren, ein Weg zu einem Ziel – bei dem sich auch schon der Weg als Ziel erweisen konnte.

Die Entbehrungen rechtfertigen sich durch die Bedeutung des Zieles. Und die Wüste ist Symbol für jene Einsamkeit, in der der Mensch zu sich und zu Gott finden kann. Die Erzählung von der Versuchung Jesu in der Wüste bringt die Frage nach den „Lebensmitteln" auf den Punkt. Nach dem Ansinnen des Satans, die Steine der Wüste in Brot zu verwandeln, antwortet Jesus mit der alten jüdischen und biblischen Weisheit: „Der Mensch lebt nicht vom Brot allein." Tieferes läßt sich zum Sinn des Fastens schwerlich sagen.
In den letzten Jahren wurde das Fasten auch außerhalb der religiösen Traditionen neu entdeckt. Diesmal nicht sosehr als spirituelle, sondern eher als körperliche Erfahrung. Doch zeigt sich gerade im Gesundheitsfasten, daß Leib und Seele nicht zu trennen sind. Der kulturgeschichtliche Hintergrund der vorösterlichen Fastenzeit im abendländischen Brauchtum zeigt, daß nach der harten Zeit des Winters mit seiner damals reichlich ungesunden Ernährung eine Zeit der Regeneration durchaus nützlich und der Gesundheit zuträglich war. Wie so oft in der Geschichte erweist sich das religiös Begründete auch aus anderen Gründen als sinnvoll und gut. Es scheint bemerkenswert, daß es in vielen Religionen und Kulturen Traditionen des Fastens gibt, die nicht nur dem Körper dienen wollen, sondern auch eine Wachheit des Geistes bewirken, die zu intellektuellen und spirituellen Höchstleistungen befähigt. Neuere Versuche des gemeinsamen Fastens in Gruppen verbinden auf diese Weise solidarische und spirituelle Erfahrungen.
An dieser Stelle wird eine Dimension des Fastens sichtbar, die gerade in unserer heutigen, von Übervölkerung und Hunger bedrohten Welt sinnvoll scheint: Das Fasten der Satten in Solidarität mit und zugunsten von Hungernden. Es ist sozusagen die sinnvolle Rückseite des dummen Spruchs von den hungernden

Kindern in Indien, mit dem man überfressene Wohlstandskinder dazu bringen will, den Teller leerzuessen. Ein Solidaritätsfasten – etwa ein Familienfasttag – zugunsten von Entwicklungsprojekten in der Dritten Welt, indem man selbst bescheiden ißt und das Ersparte weitergibt, nützt den Betroffenen mehr als gute Ratschläge in Sachen Familienplanung und Geburtenregelung. Vor allem dann, wenn es nicht nur einmal im Jahr zur Beschwichtigung des sonst mit Recht schlechten Gewissens geschieht. Die typisch abendländische Überheblichkeit zeigt sich unter anderem auch an den unbescheidenen Sprüchen und den bescheidenen Taten.

Das Fasten hat in der Tradition des Christentums häufig einen selbstquälerisch-verbissenen Charakter und erweckt den Anschein, man müsse sich unbedingt selbst Schmerz zufügen, um Gott wohlzugefallen. Diese Art von masochistischer Askese – als würden wir Gott umso mehr gefallen, je mehr wir leiden – kann nur einen sadistischen und damit unchristlichen Gott vor Augen haben. Eine solche Askese ist letztlich lebensfeindlich, mißgönnt dem Menschen Freude, Lust und Genuß – und scheint auch insgesamt die Schöpfung für ziemlich mißglückt zu halten. Wer aus solchen Motivationen heraus fastet, tut dies als sein eigener Feind.

Im Gegensatz dazu gibt es eine tatsächlich christliche und lebensbejahende Askese. Sie sucht nicht den Verzicht um des Verzichts willen, sondern begründet jeden Verzicht in einem höheren Ziel. Und das Erreichen dieses Zieles schenkt dem Verzicht einen Sinn, der kräftigt und motiviert. Diese lebensbejahende Askese mündet schließlich in ein erhöhtes und gestärktes Lebensgefühl. Wer nach wochenlanger Alkoholabstinenz wieder ein Glas Wein trinkt, mag das zu spüren bekommen. Der Verzicht wird mit erhöhtem Lustgewinn belohnt. So paradox es klingen mag: Der christliche Asket ist ein Mensch, der das Leben zu genießen versteht. Er entflieht nicht der Lebensfreude in verbissener Verweigerung, sondern er gewinnt sie nach weiser Abstinenz um so mehr. Indem er fastet, lernt er, sich des Lebens zu freuen.

Vorspiel auf der Bühne

Palmsonntag

Man kann sich die Feier der „Heiligen Woche", wie die Karwoche im alten kirchlichen Sprachgebrauch heißt, wie ein großangelegtes Drama vorstellen: eine Trilogie, ein Spiel mit einem Prolog (am Palmsonntag), drei Akten (vom Gründonnerstag bis zur Osternacht) und einem Epilog (am Ostersonntag).
Die Theatersprache soll hier nicht dazu verleiten, den ganzen Vorgang für unecht oder unernst zu halten, als ginge es nur um ein scheinbares Handeln, ein „So tun als ob". Vielmehr greifen die alten liturgischen Vorgänge auf die antike Vorstellung zurück, man könne im Ritual den gemeinten Sachverhalt gleichsam beschwören, ja ihn in gewisser Weise gegenwärtig setzen. Tatsächlich wurzelt ja das abendländische Theater im Kultischen – und ebenso wurzelt der Kult im Theatralischen. Dieses Wissen mindert nicht die Bedeutung liturgischer Rituale, sondern verleiht ihnen im Gegenteil eine besondere Bedeutung und Kraft. Feinfühlige und künstlerisch sensible Menschen haben seit jeher die spirituelle Kraft religiöser Rituale erkannt – wenngleich das die Gefahr nicht beseitigt, durch leere Gewöhnung und gedankenlose Wiederholung tote Gesten und sinnlose Gebärden zu verrichten.
Das Vorspiel findet auf der offenen Bühne – sozusagen im freien Gelände – statt. Die jubelnde und lärmende Szene ist ein scharfer Kontrast zu den kommenden Ereignissen. Der Einzug Jesu in Jerusalem, von einer begeisterten Volksmenge gefeiert, steht in bewußter Spannung zu jener Karfreitagsszene, in der wiederum eine Volksmenge – und wenigstens manche in ihr

werden dieselben sein – tumultartig versammelt sein wird. Doch diesmal wird sie den Tod Jesu verlangen. Die Prediger unzähliger Palmsonntagsgottesdienste haben den Vergleich gezogen zwischen dem „Hosanna" dieses Tages und dem „Kreuzige ihn!" des Karfreitags. Die – keineswegs bewiesene – Annahme, es wären dieselben Menschen gewesen, die wenige Tage nach ihrem Jubel den Tod des zuvor Umjubelten verlangt hätten, verschärft die Spannung dieses Tages. Und man merkt dies an der zwiespältigen Zeichenhaftigkeit des Gottesdienstes.
Einerseits wird die jubelnde Szene des Einzugs Jesu in Jerusalem geradezu nachgespielt. (Anstelle nicht vorhandener Palmzweige nimmt man in unseren Breiten gerne Weidenzweige mit den sogenannten Palmkätzchen, also ein Frühlingssymbol.) Andererseits wird die Leidensgeschichte aus der Bibel vorgelesen. In dieser Spannung von Jubel und Entsetzen wird gleichsam das Terrain der kommenden Ereignisse abgesteckt, wird die Atmosphäre geprägt.
Der Vortrag der Passion – der Leidensgeschichte nach einem der vier Evangelien – im Verlauf der Karwoche hat eine alte Tradition: Lange Zeit hindurch wurde am Palmsonntag im Gottesdienst die Passion nach Matthäus vorgetragen, am folgenden Dienstag und Mittwoch die nach Markus und Lukas, und schließlich am Karfreitag die Leidensgeschichte nach Johannes.
Die älteste und schlichteste Weise des Vortrags gab dem Sänger dreierlei Anweisungen: C (celeriter = schnell) für die berichtenden Textstellen des Evangelisten, T (tene = getragen) für die gehobene Vortragsweise der Jesusworte und S (sursum = hoch) für die übrigen Sprechpartien. Auf diese Weise konnte ein einzelner Sänger durch die entsprechende Charakteristik die verschiedenen Rollen deutlich machen.
Es ist leicht zu verstehen, daß man bald dazu überging, die Pas-

Culenborch-Missale: Einzug in Jerusalem

sion mit verteilten Rollen zu singen – in der Regel durch drei Diakone. Aus den alten Vortragszeichen wurden solcherart Symbole für Personen: C für den Evangelisten (Chronista), S für die übrigen Personen und die Volksmenge (Succentor), und aus dem T wurde ein Kreuz als Zeichen für die Jesusworte. Später übernahm den Vortrag der ganzen Passion ein kleines Sängerensemble, das aber häufig den gesamten Text gemeinsam sang und durch den musikalischen Ausdruck zu differenzieren suchte. Eine andere und jüngere Tradition läßt in der uns heute vertrauten Weise Solisten und den Chor in den verschiedenen Rollen auftreten. Den Text mit verteilten Rollen bloß zu sprechen, ist ein wenig sinnvoller und erst in jüngerer Zeit aufgekommener Brauch.
Seit der letzten Liturgiereform und der Einführung der drei Lesejahre kommen die Passionserzählungen der drei ersten Evangelisten (die Synoptiker: Matthäus, Markus und Lukas) abwechselnd an den Palmsonntagen der drei Jahre zu Wort, während das viel später entstandene und in seiner Aussage durchaus eigenwillige Johannesevangelium der Karfreitagsliturgie vorbehalten bleibt. Die zahlreichen Passionsvertonungen sind durchwegs für die Gottesdienste der Karwoche, vor allem für den Karfreitag entstanden – wobei die lateinischen Kompositionen vorwiegend katholischen und die deutschen eher evangelischen Ursprungs sind. Daß diese Meisterwerke religiöser und liturgischer Kunst in die Konzertsäle abgewandert und gerade in der Karwoche aus ihrer ursprünglichen Heimat – den Kirchenräumen – verbannt sind, ist besonders bedauerlich.
An dieser Stelle wird eine Eigentümlichkeit katholischer und evangelischer Tradition spürbar. Der Katholizismus liebt das Dramatisch-Theatralische, den sinnlichen Ausdruck und die Sprache der Symbole. Die jahrhundertelange Beschränkung auf

die lateinische Sprache mag diesen nonverbalen Schwerpunkt verstärkt haben. Der evangelische Gottesdienst vertraut auf die Stärke der Sprache und allenfalls auf den Ausdrucksreichtum der Musik. So wurde die katholische Liturgie der Karwoche symbolstark und geradezu dramaturgisch überhöht, während der evangelische Gottesdienst sich auf das Wort, vor allem auf das Bibelwort, beschränkte – jedoch in der Komposition der biblischen Passionen zu höchster Vollendung aufstieg. Die katholische Liturgie machte sogar das Musikverbot an den Kartagen (keine Glocken, keine Instrumente, keine Orgel) zu einem dramaturgischen „Kunstgriff“: Das Schweigen der Instrumente verstärkt die Beklemmung der Passion, und das Wiedererklingen verstärkt den Osterjubel.

Die typisch katholische Weise, religiöse Ereignisse zu dramatisieren, zeigt sich im uralten Brauch des Passionsspieles – natürlich auch mit all den Gefahren der Veräußerlichung und des Absinkens in ein kommerzielles Spektakel. Einzelne Elemente finden sich auch in der Liturgie der Karwoche oder in volkstümlichen Kirchenbräuchen: die Palmprozession, an manchen Orten sogar mit dem Priester, gleich Jesus, auf einem Esel reitend, die Entblößung der Altäre, die nächtlichen Ölbergstunden am Gründonnerstag, die Errichtung des Heiligen Grabes mit einer Figur des toten Jesus und die nächtlichen Gebetsstunden als Grabwache davor, die Auferstehungsprozession mit einer Statue des Auferstandenen. Letztere gilt vielerorts noch heute als allgemeine Bezeichnung für die Osternachtfeier: Am Abend des Karsamstag oder am Morgen des Ostersonntags „geht man in die Auferstehung“.

Die Dramatisierung des religiösen und kirchlichen Geschehens gehört zur typisch katholischen Art, Feste zu begehen und Gottesdienste zu feiern. Man mag den direkten und ganzheitlichen Weg begrüßen oder auch manchen Trend zur Veräußerlichung bedauern – es kann ein ehrlicher Weg sein, die Botschaft Jesu in Zeichen und Symbol, in sinnlicher Erfahrung und dramatischem Erleben, in Meditation und Versenkung, in Zeremonie und Ritual zu erspüren.

Das erste Abendmahl

Gründonnerstag

Die drei Tage, an denen die Christen seit jeher den Tod und die Auferstehung Jesu feiern, sind in ihrer ganzen Aussagekraft nur zu verstehen, wenn man nicht bloß einen Tag herausbricht, sondern alle drei als eine Einheit sieht: als dreitägiges Drama, als Trilogie vielleicht, als ein Spiel in drei Akten. Die Zeichen und Symbole der drei Gottesdienste, aber auch die volkstümlichen Gebräuche in den verschiedenen Ländern und Regionen verdeutlichen das. Der Hang, die Ereignisse dieser Tage zu dramatisieren, zeigt sich vor allem in Bräuchen wie den Passionsspielen, dem sogenannten „Heiligen Grab" in den Alpenregionen, oder im Herablassen einer Statue des Auferstandenen in früheren Zeiten. In der künstlerisch sublimierten Form der berühmten Passionsmusiken, etwa nach Johann Sebastian Bach, lebt dieses Gefühl für die Dramatik der letzten Tage Jesu sogar außerhalb der Kirchen und jenseits der sakralen Bezirke weiter. Manchmal auch deshalb, weil wir solche Passionsmusiken voreilig vom heiligen Ort und der heiligen Stunde vertrieben haben.

Im dreitägigen Drama der Tage um Passion und Ostern zeigt der Gründonnerstag, wie das Verhängnis aus der scheinbar heilen Welt der Jüngergemeinschaft hervorbricht. Die Szene des „ersten Aktes" beginnt geradezu idyllisch: Die Jünger bereiten mit und für Jesus ein gemeinsames Mahl, ein rituelles Mahl nach jüdischem Brauch einerseits, das sich aber andererseits als Vermächtnis und Abschiedsessen erweisen wird, wenn die Ereignisse einmal ihren Lauf genommen haben. Der Beobachter im Zuschauerraum – der Gläubige, der die Gottesdienste mitfeiert, ist zugleich Akteur und Beobachter – weiß sozusagen, was die Akteure auf der Bühne nicht wissen: Dieses Mahl ist von trügerischer Ruhe gekennzeichnet, von brüchigem Gemeinschaftsgefühl. Die Brüderlichkeit der Apostel zeigt Risse. Judas hat den Verrat schon heimlich vorbereitet. Das Liebesmahl wird sich später einmal als Letztes Abendmahl, als Abschiedsmahl erweisen. Die Verknüpfung von Liebe und Tod – das heimliche Thema dieser drei Tage – kündigt sich bereits an.

In der Erinnerung späterer Zeiten wird man nicht so recht wissen, ob man diesen Tag als freudigen oder traurigen Tag begehen soll. Dem Namen „Gründonnerstag" (von greinen = weinen) nach entschied man sich für die Trauer. Man wußte bereits: Dieses Spiel muß tödlich ausgehen. Der „Liebestod" zeichnet sich schon während des „Liebesmahles" ab. Jede Liebe endet tödlich – bei leiser Hoffnung, daß damit noch nicht das letzte Wort gesagt ist…

Die Dramaturgie des biblischen Gründonnerstags läßt sich etwa so skizzieren: Vorbereitung zum Abendmahl – Fußwaschung – das Mahl selbst mit Brot und Wein – der Verrat des Judas – Jesus am Ölberg – die Gefangennahme – der Beginn des Prozesses – die Verleugnung Jesu durch Petrus.

Schon die Stichworte zeigen, wie sich die dramatische Handlung nach unscheinbaren Anfängen zu einem ersten Höhepunkt im Todesurteil des Hohen Rates entwickelt. Bildhaft gesprochen: Aus den Ritzen der Idylle grinst bereits das Verhängnis. Oder in den feierlichen Worten Jesu, die nach den Evangelien Judas als den Verräter bezeichnen: „Der mit mir die Hand in die Schüssel taucht – der ist es." Im Zwielicht der zerbrechenden Idylle stehen zwei Verräter: Judas und Petrus. Beide bereuen für den Rest ihres Lebens, der eine für einen knappen Rest, bis zur Verzweiflung, der andere für Jahrzehnte. Die

Bibel geht mit beiden milder um als die Nachwelt, die aus dem einen den höchsten und aus dem anderen den am tiefsten Gefallenen unter den Aposteln machen wird.
In der Symbolsprache der Evangelien wird in zwei verschiedenen Weisen über das Letzte Abendmahl berichtet: Die ersten drei Evangelien berichten vom Brotbrechen und vom Teilen des Kelches in der noch heute unter Christen üblichen Weise. Der noch ältere Text aus dem Ersten Korintherbrief dient in der Messe vom Gründonnerstag als Lesung. Das um etwa eine Generation später abgefaßte Johannesevangelium spricht davon mit keinem einzigen Wort – so als wäre das Abendmahl ganz anders verlaufen. Anstelle des vertrauten Berichtes vom Brotbrechen und Weintrinken erzählt Johannes von der Fußwaschung, die ihrerseits wieder in den ersten drei Evangelien verschwiegen wird. Man könnte sagen, daß es im Neuen Testament zweierlei Symbole gibt, die man aus den Texten über das Abendmahl als Vermächtnis Jesu deuten könnte. Verweilen wir ein wenig bei dieser merkwürdigen Diskrepanz der Bibeltexte:
Sprechen wir zuerst vom Doppelsymbol der früheren Textzeugnisse – von Brot und Wein. In allen christlichen Kirchen ist man sich darin einig, daß im Symbol des Essens und Trinkens von Brot und Wein die Gegenwart Christi angezeigt wird. Wenngleich die Art und Weise der Gegenwart nicht immer und in allen Konfessionen gleich gesehen wurde und wird, war doch das Feiern des Abendmahles bei allen etwas fundamental Christliches. So sehr, daß man es schmerzlich vermißt, diese Feier noch nicht gemeinsam begehen zu können.
Ein weniger beachteter Aspekt zeigt sich jedoch darin, daß in der alltäglichen Praxis der katholischen Kirche das Doppelsymbol halbiert erscheint. Bis auf seltene Ausnahmefälle bleibt der Kelch dem Priester vorbehalten. Und dies, obwohl das Mat-

thäusevangelium eindeutig den Auftrag Jesu zitiert: „Nehmt und trinkt alle daraus.“ Doch selbst das Symbol des Brotes wird in vielen christlichen Kirchen und in der katholischen Praxis in bloß reduzierter Weise realisiert. Denn die Brotbrechung als Symbol des Teilens geschieht wiederum nur mit der großen Hostie des Priesters. Die Gläubigen bekommen meist vorgestanzte kleine Hostien, also Portionen. Hier wird nicht geteilt – sondern ausgeteilt.
Man mag in dieser Not mit dem rechten Vollzug eines Symbols, das auf Jesus selbst zurückgeht, auch unsere eigene Not mit dem sehen, worauf das Zeichen hinweist: Der Wein, der so oft vorenthalten wird, kann als Symbol der Freude gelten. In der Verweigerung mag man unsere Schwierigkeit angedeutet sehen, ein wirklich lebensfrohes, sinnenfreudiges und genußfähiges Christentum zu leben. An unserer Schwierigkeit, das Brot im Abendmahl auch wirklich zu teilen, wird wohl unsere grundsätzliche Fähigkeit zu teilen in Frage gestellt. Denn tatsächlich wäre es eine Lüge in der Zeichensprache der Liturgie, wollten wir im Gottesdienst das eucharistische Brot brechen und teilen, obwohl wir im Alltag nicht teilen können. Da bleibt es vorderhand schon das ehrlichere Symbol, die Hostien von einer Maschine vorportionieren zu lassen.
Ähnlich bedenklich wie mit dem Doppelsymbol von Brot und Wein verhält es sich mit der Fußwaschung. Und hier ist die Brisanz direkt zu spüren. Johannes berichtet es im Evangelium des Gründonnerstags genau und fügt gleich noch die Deutung hinzu, damit es keiner weginterpretieren kann: Die Fußwaschung ist ein Symbol des Herrschaftsverzichtes, des Dienstes gerade der Größten an den Geringsten. Man darf es ruhig auch beim Namen nennen: Die Fußwaschung ist ein politisches Symbol. Und darin dürfte auch die Schwierigkeit begründet liegen, die

Stundenbuch für den Propst Augustin Posch: Das Letzte Abendmahl

seither die Christen mit diesem Symbol und seiner Bedeutung haben. Die Fußwaschung wurde zu einer selten ausgeübten und stark stilisierten Geste in einem letztlich hierarchischen Ritual. Die scharfe Dissonanz, die durch die Fußwaschungszeremonie in einem feierlichen Kathedralgottesdienst ausgelöst wird, hat jedoch auch ihr Gutes. Wir spüren, wie weit wir noch entfernt sind von einer geschwisterlichen Gemeinschaft ohne jeglichen Herrschaftsanspruch.
Wenn man den Text des Johannesevangeliums über die Fußwaschung genau liest, entdeckt man am Ende jenen Satz, der analog zum eucharistischen Einsetzungsbericht anordnet, dieses Zeichen immer wieder zu tun. Dort hieß es: „Tut dies zu meinem Gedächtnis." Hier steht: „Ein Beispiel habe ich euch gegeben, damit auch ihr tut, wie ich euch getan habe." Würden wir konsequent mit diesem Satz nach altkirchlicher Praxis verfahren, dann wäre anzumerken, daß hier Jesus das Sakrament der Fußwaschung eingesetzt habe.
Ein unterschlagenes Sakrament also? – könnte man fragen. Und mit Erleichterung feststellen, daß es schon die frühe Kirche mit solchen Anweisungen Jesu nicht allzu wörtlich nahm. Tatsächlich lassen sich für ein Sakrament des Herrschaftsverzichts im Zeichen der Fußwaschung keine historischen Belege finden. Möglicherweise fiel es allen Christen zu allen Zeiten – wie eben allen Menschen zu allen Zeiten – schwer, was Jesus im Symbol des Füßewaschens zum Zeichen des Widerspruchs erhob: der Mut zum Dienen – später Demut genannt, und noch später als Ermächtigung mißverstanden, andere zu demütigen.
Es mag ganz gut sein, wenn – so wie beim ersten Abendmahl, das wir das Letzte nennen – die Idylle brüchig wird. Wenn auch in der heutigen kirchlichen Gemeinschaft nicht vertuscht wird, wie wenig wir einander das Brot brechen, wie oft wir einander

den Wein verweigern – und wie schwer es uns fällt, einander die Füße zu waschen. In einer Kirche, in der viele einander den Kopf waschen, statt der Füße – in einer Kirche, in der so viele das Gewissen der anderen erforschen, statt das eigene – in einer Kirche, die naturgemäß hinter dem Anspruch Jesu immer zurückbleiben muß, tut es gut, am Versagen der Apostel auch das eigene Versagen vorgezeichnet zu finden.

Zu den hoffnungsvollen Zügen des Evangeliums gehört es, daß der Mensch samt seinem Versagen aufgehoben ist in der Güte eines Gottes, von dem Johannes sagt, daß er größer ist als unser Herz. Wenn sich am Ende des ersten Aktes des biblischen Dramas von Passion und Ostern der Schmerz einstellt und die Dissonanz spürbar wird, weil wir – gemessen am Anspruch der Liebe – immer zurückbleiben und schuldig werden, dann mag das als Zeichen gelten, daß wir bereit sind, in den zweiten Tag einzutreten. Der Karfreitag wird den Schmerz vertiefen und die Dissonanz verschärfen. Doch das wird der Hintergrund jener Hoffnung sein, die wir in Ostern erahnen.

Die Wahrheit des Kreuzes

Karfreitag

In der Dramaturgie der drei Tage um Passion und Ostern markiert der Karfreitag den Tiefpunkt. Eigentlich könnte mit dem Scheitern der irdischen Laufbahn Jesu alles zu Ende gegangen sein. Man müßte den Zuschauern des Spieles zurufen: „Geht nach Hause, alles ist mißglückt! Vergeßt alles, es war nichts!" In der drastischen Symbolsprache der früheren liturgischen Ordnung drückte sich das in der schwarzen Farbe der Gewänder aus. Es galt sozusagen, das Requiem für den toten Jesus zu feiern. In manchen Gegenden wird noch heute sein Grab bereitet, um eine Figur hineinzulegen. An diesem „Heiligen Grab" hält man nun Totenwache – wie bei jedem anderen Todesfall auch. Der Gottesdienst des Karfreitags ist auch heute noch spürbar ein ganz anderer als an allen übrigen Tagen des Jahres. Es ist der einzige Tag im Jahr, an dem keine Meßfeier stattfindet, da nach altem Brauch zwischen dem Abendmahlsgottesdienst am Gründonnerstag und der österlichen Messe in der Nacht keine Eucharistie gefeiert werden sollte. Das Abendmahl wurde am Gründonnerstag wie an einem Jahrestag gefeiert – und es wird in der Osternacht im Gedenken an die Auferstehung gehalten werden.

Doch heute – am Todestag Jesu – gibt es kein Abendmahl. Das führt zu einer bemerkenswerten und paradoxen Situation: „Deinen Tod, o Herr, verkünden wir und deine Auferstehung preisen wir, bis du kommst in Herrlichkeit." Diesen programmatischen Satz hören wir ausgerechnet am Todestag Jesu nicht. Und die katholische Ausdeutung, wonach die Messe eine unblutige Erneuerung des Kreuzesopfers ist, spart für diese Erneuerung ausgerechnet den Todestag aus. Die evangelische Überlieferung, die mit dieser Deutung ohnehin ihre Schwierigkeiten hat, sieht in einer sehr verständlichen Logik den Karfreitag als Fest der Erlösung. Die gedämpfte Trauer des katholischen Karfreitags ist dem evangelischen Christen eher fremd. Doch gerade darin zeigt sich eine Eigenart des typisch katholischen Sinns für Dramatik und Drastik, für Sinnlichkeit und Symbolstärke in der Feier der Liturgie.

Die Symbolsprache der Karfreitagsliturgie reduziert sich im wesentlichen auf ein einziges, auf das wichtigste Zeichen der Christenheit: das Kreuz. Man könnte die Feier dieses Tages einen Meditationsgottesdienst nennen, eine Kreuzmeditation. In dem alten Brauch, das zuvor mit einem violetten Tuch verhüllte Kreuz feierlich und in mehreren Schritten zu enthüllen und schließlich besonders zu verehren, erkennen wir die katholische Vorliebe für Gesten und Zeichen gegenüber dem sich so schnell abnützenden Wort. Der Wortreichtum führt allzu leicht zu frommer Geschwätzigkeit oder zu routiniertem Pathos. Demgegenüber vermögen sich Symbole oft besser in ihrer Ursprünglichkeit zu behaupten, ohne in stumpfe Wiederholung oder abergläubische Magie abzugleiten. Zudem hat die Zeichen- und Symbolsprache oft einen direkten Zugang zu Menschen, die für die Sprache und ihre Intellektualität nicht sehr empfänglich sind. Das Symbol kann sich auch dem Schriftunkundigen, dem wenig Gebildeten, ja sogar dem Sprachlosen oder Tauben erschließen.

Das Wesentliche des Karfreitagsgottesdienstes kann auch wortlos vollzogen werden: die Aufrichtung und Verehrung des Kreuzes und die Kommunionfeier – die vollständige Meßfeier unterbleibt ja. Lediglich der Wortgottesdienst mit der Johannespassion und den großen Fürbitten ist auf das Wort angewiesen. Es dürfte auch eine geglückte Lösung sein, daß die Sprache im vorbereitenden Wortgottesdienst sozusagen zum sprachlosen Symbol hinführt. Darin spiegelt sich die Grunderfahrung, daß unsere Sprache an den entscheidenden Erfahrungen unseres Lebens verwirrt und gebrochen wird. Daß wir ins Stottern kommen und um Worte ringen müssen, wenn es ans Wesentliche geht. Daß wir letztlich in ein Schweigen verfallen, wenn wir die Hilflosigkeit unseres rationalen Denkens und Redens erkennen. Mit der Kreuzmeditation des Karfreitags ist ein Erkennen angestrebt, das sich jedem Erklären und Definieren verschließt. Wer an diesem Tag ein wenig zur Stille findet und sich der Botschaft des Kreuzes öffnet, der kommt dem Geheimnis näher, als jeder noch so kluge Text es vermag. Sosehr das für jeden Gottesdienst gilt – am Karfreitag gilt es ganz besonders: Ohne Stille und Schweigen kann keine Erkenntnis gelingen. Die liturgische Hektik und die wortreiche Geschwätzigkeit, die sich in unseren Gottesdiensten breitmacht, wäre an diesem Tag von ganz besonderem Übel.

Die feierlichen Fürbitten, die in keinem anderen Gottesdienst so breiten Raum einnehmen wie am Karfreitag, setzen einen ganz entscheidenden Akzent: Ginge es nur darum, den Gedenktag der historischen Ereignisse rund um die Kreuzigung Jesu zu begehen, dann bliebe der Blick rückwärtsgewandt. Um es drastisch zu sagen: Die Karfreitagsliturgie ist kein alljährliches Kameradschaftstreffen eines Traditionspflegevereins zur Erinnerung an den historischen Jesus von Nazaret. Was den Tod Jesu über die Milliarden Tode anderer Menschen, deren keiner mehr gedenkt, hinaushebt, ist unser Glaube daran, daß er uns und unser Leben hier und heute betrifft. Deshalb ist ein Karfreitagsgottesdienst, in dem das Heute nicht vorkommt, bloß eine

Albrecht Altdorfer, Sebastiansaltar: Kreuzigung

museale oder folkloristische Veranstaltung, und er verfehlt die innere Wahrheit des Kreuzes.
An dieser Stelle ist eine Nachdenklichkeit angebracht: Wahrheit wird in unserer Alltagssprache allzu oft mit Wirklichkeit gleichgesetzt oder verwechselt. Die Wirklichkeit, die Faktizität, der historische Befund, das Protokoll der Ereignisse – all das ist im Kern von bloß einmaliger Wichtigkeit. Die Wirklichkeit von heute ist ab morgen bereits Vergangenheit, ähnlich bedeutungsarm wie die Zeitung von vorgestern, gerade noch zu gebrauchen für Geschichten und Geschichte. Der Wahrheit ist es jedoch eigen, über den Augenblick des Ereignisses hinaus noch Bedeutung zu haben. Ja, die Wahrheit kann von höchster Bedeutung sogar dann sein, wenn sie nicht auf ein punktuelles Ereignis zurückgeht. Die Wahrheit in Märchen, in Sagen und Legenden, die Wahrheit in vielen alten Mythen – diese Wahrheit bezeugt eine tiefere Erkenntnis als die bloße Rezeption der Wirklichkeit. Unsere Gesellschaft und unsere Kultur ist auf die Wirklichkeit versessen und beinahe blind für die Wahrheit. Sie hält die Wirklichkeit für die Wahrheit und hält die Wahrheit für Fiktion. Dabei verkennt sie, daß die Wirklichkeit nur einmal wirklich, die Wahrheit jedoch immer wahr ist.
Der Satz des Pilatus nach dem Johannesevangelium „Was ist Wahrheit?“ ist ein Karfreitagssatz. Er wird im Prozeß Jesu mit spöttischem Unterton gesagt und ist eine skeptische Antwort auf den Satz Jesu: „Ich bin dazu geboren und in die Welt gekommen, daß ich für die Wahrheit Zeugnis ablege.“ Deshalb ist die Frage nach der Wahrheit des Kreuzes eine Karfreitagsfrage. Es ist nicht bloß die Frage nach der historischen Wirklichkeit der Kreuzigung und des Todes Jesu. Es ist die Frage nach der inneren und bleibenden Wahrheit des Kreuzes über den historischen Augenblick des Todes Jesu hinaus.

Deshalb ist die Karfreitagsmeditation über das Kreuz nur dann wahrhaftig, wenn sie das durchkreuzte Leben unserer menschlichen Existenz einschließt – also die Frage nach Leid und Tod, nach Schuld und Vergebung, nach Liebe, Trauer und Trost.
In den feierlichen Fürbitten des Karfreitags kommt das Kreuz dieser Welt zur Sprache, das Scheitern unserer so gut gemeinten Liebesversuche, die Melancholie der Vergänglichkeit, die Dissonanz des Leidens und Schuldigwerdens, das Geheimnis des Todes. Und wenn diese Fürbitten nicht bloß erstarrte Formel geworden sind, dann stehen im Blickkreis des Kreuzes von Golgota auch die Kreuze von Auschwitz und des Gulag, Ausbeutung und Folter in den Diktaturen jeglicher politischer Färbung, die großen und kleineren Kriege und Genozide der Menschheitsgeschichte. So stehen auch im Blickkreis des Kreuzes die im Namen des Kreuzes verübten Verbrechen, Verbrennungen und Feldzüge. Im Blick auf das gemordete Opfer Jesus vermischen sich Täter und Opfer, erschließt sich das Geheimnis des Bösen, das den Menschen selten so raffiniert anleitet, Unheil zu bewirken, als wenn er es mit gutem Gewissen tut. Die Wahrheit des Kreuzes beleuchtet auch unser verinnerlichtes Bösesein, vor dem uns nicht einmal ein gutes Gewissen bewahrt. Die Wahrheit des Kreuzes schmerzt und muß schmerzen.
Der Karfreitagsgottesdienst ist kein „Beruhigungsgottesdienst". Er soll auch nicht beschönigen oder harmonisieren. Am Karfreitag darf und soll sich der Aufschrei einer dissonanten Welt entladen dürfen in der Trauer über einen Menschen, der an seiner Güte zerbrach – zerbrochen wurde. Und die innere Wahrheit dieser Wirklichkeit von damals erkennen wir daran, daß auch unsere Liebe uns nicht hindert, zu zerbrechen und zerbrochen zu werden – daß wir sowohl schuldig werden, wenn wir lieben, aber erst recht, wenn wir uns der Liebe verweigern. So gesehen

erweist sich das Sterben Jesu als „der Liebestod" schlechthin.
Zugegeben – die Kreuzmeditation verstört, muß verstören. Doch sie ist nicht ohne Trost. Kein billiger Trost, der bloß auf die Zeit und ihre lindernde Wirkung, auf die Gewöhnung und aufs Vergessen hofft – keine Vertröstung also. Ihr Trost liegt in der Gewißheit, daß Gott kein ferner Gott ist, kein unbeteiligter Zuschauer, kein unparteiischer Weltenrichter. Die Vorstellung, daß Gott beim großen Menschengemetzel der Täter und Opfer ein kalter und unbewegter Beobachter sein könne, grenzt in dem Gott unterstellten Zynismus an Blasphemie.
Die biblischen Passionsgeschichten erzählen von einem ganz anderen Gott. Sie erzählen die letztlich unbegreifliche Geschichte von einem leidenden Gott, von einem sterbenden Gott, von einem toten Gott. Lassen wir diese theologische Ungereimtheit ruhig in ihrer grellen Unversöhnlichkeit stehen. Wer sich am Tod Gottes vorbeischwindelt, wird nicht verstehen, was Auferstehung meint.
Doch am Karfreitag ist diese Auferstehung noch fern. Sie lebt nur als entfernte Hoffnung in unserem Herzen und ist ein verhaltener Trost an den Karfreitagen unseres Lebens.

Fest zum Sonnenaufgang

Osternacht

Kein anderer Gottesdienst der katholischen Kirche ist so reich an Symbolen und Zeichen wie die nächtliche Osterliturgie in der Nacht von Karsamstag auf Ostersonntag. Schon der Zeitpunkt der Feier erweist sich als erstes und gewichtiges Symbol: die Nacht. Die frühchristliche Auferstehungsfeier – ursprünglich war sogar jede Messe am Sonntagmorgen so gemeint – begann in der späten Nacht und endete bei Sonnenaufgang. Um es ausführlicher zu sagen: Die Gemeinde versammelte sich in der Nacht des Todes, um gegen Osten den Aufgang der Sonne, das Wiedererstehen des Lebens, den Sieg des Lichtes über die Finsternis zu erwarten. Aus diesem Grund ist die ideale Zeit für die Osterfeier der Übergang der Nacht zum Tag, das Morgengrauen. Wenn man auch aus praktischen Gründen eine frühere Zeit wählt – etwa Mitternacht oder Abend –, auf keinen Fall sollte die Feier beginnen, bevor es nicht völlig dunkel geworden ist. Sonst geht die Symbolik von Nacht und Licht weitgehend verloren.

Hier sollte auch der Unterschied zu der wesentlich jüngeren Nachtsymbolik der Weihnachtsmette genannt werden. Denn das heutige Datum des Weihnachtsfestes orientiert sich an der Wintersonnenwende, an der längsten Nacht des Jahres. Deshalb ist hier die Mitternacht der entsprechende Zeitpunkt – oder wie es im Weihnachtslied heißt: „... wohl zu der halben Nacht".

Die Nacht mit ihrem Geheimnis, mit ihrer Ambivalenz von Furcht und Hoffnung, von Sehnsucht und Erfüllung, gibt den dunklen Hintergrund für das Erscheinen des Lichtes ab. Dieses Licht erscheint zuerst in der ungebändigten Form eines offenen Feuers. Wenn es sich dabei um ein kräftig loderndes Feuer handelt, das wärmt, dessen belebende, aber auch zerstörende Kraft erspürt werden kann, dann erschließt sich wie von selbst die Weiterführung des Symbols in der brennenden Osterkerze: Denn nun wird – sozusagen in gezähmter Weise – die zarte Flamme behutsam in den dunklen Kirchenraum getragen. Ohne ausführliche Erklärung versteht die Gemeinde, was es bedeutet, wenn an der Flamme der Osterkerze weitere Kerzen entzündet werden und schließlich der vormals dunkle Raum von lebendigem, flackerndem Licht erfüllt ist. Es ist sozusagen eine sinnliche Schriftauslegung jener Worte, mit denen einerseits Christus das „Licht der Welt" genannt wird, aber andererseits auch wir ein Licht für die Welt und die Menschen sein sollen.

Licht und Wärme in einer finsteren und kalten Nacht – das ist die Symbolsprache des österlichen Feuers. Licht gibt Helligkeit, ermöglicht Orientierung – läßt uns den Lebenssinn finden und ein Ziel erkennen. Wärme ist ein sinnliches Zeichen für menschliche Nähe, für Vertrautheit, für Liebe. In dieser neugefundenen, weil wiedererstandenen Wärme und Helligkeit erklingt nun zum ersten Mal das Osterlob im altehrwürdigen „Exsultet": „O wahrhaft selige Nacht, die Himmel und Erde versöhnt, die Gott und Menschen verbindet!" Mit Recht zählt man dieses Osterlob zu den großen Dichtungen der Christenheit.

Wenn man den Aufbau der Osternachtfeier knapp skizzieren wollte, dann könnte man sagen, daß den beiden Teilen der normalen Messe jeweils eine Feier mit einem Hauptsymbol vorangeht: Auf die Lichtfeier folgt der Wortgottesdienst, auf die Wasserfeier folgt das Abendmahl. Der Wortgottesdienst unterscheidet sich von der einfachen alltäglichen und sonntäglichen

Form durch Zahl und Umfang der biblischen Lesungen. Die in der vollen Ausführlichkeit insgesamt acht Lesungen vor dem Osterevangelium werden meist in Zahl und Umfang gekürzt, um unserem heute allzu geringem Aufnahmevermögen entgegenzukommen. Ihr inhaltlicher Bogen spannt sich vom ersten Kapitel der Bibel bis zum Römerbrief des Apostels Paulus und versucht die Symbole von Licht und Wasser aus biblischer Sicht darzustellen und auszulegen. Die Vielfalt der Gedanken verdichtet sich schon am Beginn des ersten Textes aus dem Buch Genesis: „Gottes Geist schwebte über den Wassern. Gott sprach: Es werde Licht. Und es wurde Licht."

Die Wasserfeier oder Tauffeier stellt das zweite österliche Symbol in den Mittelpunkt – biblisch gesagt: die Wiedergeburt aus dem Wasser und dem Heiligen Geist. Das Wasser wird in seiner zeichenhaften Bedeutung noch immer als Symbol des Waschens und Reinigens mißverstanden und eingeengt. Die hauptsächliche Bedeutung erschließt sich jedoch erst, wenn man bedenkt, daß diese jüdisch-christliche Symbolik im Orient wurzelt, also in einer Landschaft, in der es ohne Wasser kein Leben gibt. Es bleiben nur Wüste, Elend und Tod. Wasser jedoch bedeutet Leben. Ausführlicher gedeutet: Wie wir aus dem Fruchtwasser des Mutterleibes zum organischen Leben geboren wurden, so werden wir aus dem lebendigen Wasser der Taufe zu einem neuen Leben wiedergeboren. Sind wir durch die erste Geburt die Kinder eines leiblichen Vaters und einer leiblichen Mutter, so werden wir durch die Wiedergeburt der Taufe zu Kindern Gottes. In erster Linie signalisiert uns also das Zeichen des Wassers dieses neue Leben. Erst in zweiter Linie zeigt es die Reinigung von Schuld und von der Verstrickung ins Böse an.

Daraus erschließt sich, daß das Wasser der Osternacht ein lebendiges und lebenspendendes Wasser sein soll. Von der Ausdruckskraft des Symbols her könnte man sich wünschen, daß es vor oder in der Kirche eine Quelle, einen Brunnen gibt. Auf jeden Fall wird so verständlich, daß man nicht mehr wie früher ein einziges Mal im Jahr ein Taufwasser segnet, um es dann für den Rest des Jahres aufzubewahren und zu verwenden. Heutzutage wird in der Osternacht und bei jeder Taufe frisches Wasser gesegnet und verwendet. Die Kirche der ersten Jahrhunderte war hierin noch wesentlich radikaler: Die Täuflinge – damals nur Erwachsene – wurden in eigens errichteten Taufbecken in abgesonderten Taufkapellen durch Untertauchen getauft. Hier wurde sinnlich erfahrbar, daß man als Christ in das neue Leben nur ganz oder gar nicht eintauchen kann. Man kann letztlich nicht „nur ein bißchen" Christ sein. Daß wir heute mit einer kleinen Menge Wassers nur den Kopf des Kindes übergießen oder gar nur besprengen, ist ungewollt aufschlußreich. Viele von uns verweigern sich dem ganzen Christsein. Das reduzierte Symbol verweist auf eine reduzierte Weise, die Botschaft Jesu anzunehmen.

In der Dramaturgie der drei Tage von Passion und Ostern kennzeichnet der dritte Tag – oder besser: die Nacht – den Durchbruch: den Durchbruch von der Nacht zum Tag, von der Finsternis zum Licht, vom Tod zum Leben. Der Schmerz des Karfreitags verstummt, die Dissonanz löst sich auf, der Schleier hebt sich. Was nun kommt, ist schwerer zu begehen als das Vorige. Denn das Harmonische langweilt bald, während das Dissonante aufrüttelt. Wie in einem Roman oder einem Drama die Konflikte und Probleme, die Spannungen und Hindernisse weiten Raum einnehmen, während die Lösung in wenigen Sätzen erklärt ist, wie seit jeher Hölle und Fegefeuer die Phantasie anregten, der Himmel aber schnell langweilte, wie das „Happyend" – wenn es überhaupt eines ist – immer am Ende, nie aber

Albrecht Altdorfer, Sebastiansaltar: Auferstehung

am Anfang steht, so fällt es auch uns schwer, Ostern ähnlich weitausholend zu begehen wie zuvor die Passion. Freilich: Feiertage zum Fest der Auferstehung stehen bevor, doch die Sprache der Zeichen und Symbole wird dünner. Das Eigentliche scheint gesagt.

In der abschließenden Eucharistiefeier wird auch der Bogen erkennbar, der sich über diese drei Tage spannt: Der Gründonnerstag war eine Abendmahlfeier zur Erinnerung an das erste und Letzte Abendmahl – damals in Jerusalem. Nun endet die Osternachtfeier mit einem – fast möchte man sagen – „neuen Abendmahl", eigentlich mit einem „Morgenmahl". Und in dieser Spannung von – nüchtern gesagt – Frühmesse und Abendmesse begründet sich die doppelte Symbolik unserer Gottesdienstpraxis. Wenn wir abends Messe halten, ist die Erinnerung an das Letzte Abendmahl stärker. Wenn wir morgens Eucharistie feiern, dann drängt sich die Auferstehung in den Vordergrund unserer Aufmerksamkeit. Das frühe christliche Brauchtum mit der Sonntagsmesse bei Sonnenaufgang deutete an, daß man den Sonntag als ersten Wochentag, als Tag der Auferstehung feiern wollte. Unser heutiges Lebensgefühl hat den Abend mit neuer Bedeutung gefüllt, und deshalb schätzen viele Christen auch an Sonntagen den Vorabend- oder den Abendgottesdienst. Und besonders die Vorabendmesse kann sich mit dem uralten jüdisch-christlichen Verständnis ausweisen, daß jedes Fest schon mit dem Sonnenuntergang des Vorabends beginnt. So der Sabbat mit dem Freitagabend und nun der Sonntag mit dem Samstagabend. Und das ist gut so.

Doch wenigstens zu Ostern sollte die Liturgie der Osternacht nicht zu einer Vorabendmesse verkleinert werden. Denn die ganze Fülle der Zeichensprache dieser reichsten Liturgie der katholischen Tradition hat sich erst erschlossen, wenn die österliche Gemeinde ihr Halleluja zur Morgendämmerung anstimmt und in der nach Osten gerichteten Kirche in die aufgehende Sonne hinein ihr abschließendes Auferstehungslied singt. Wenn die Gemeinde nun im ersten Sonnenstrahl des jungen Ostermorgens das Gotteshaus verläßt, das sie im Dunkel der späten Nacht betreten hat, dann kann sie in diesen knappen Stunden vielleicht erahnen und erfühlen, was damit gemeint ist, wenn wir sagen, daß der Glaube an die Auferstehung die Welt verändern kann. Und wenn die vordem in Kälte und Finsternis gehüllte Erde durch die aufgehende Sonne, in neues Licht getaucht, wie verwandelt erscheint, dann erschließt sich durch die Bildersprache von Natur und Kosmos das, was Auferstehung meint: der Sieg des Lichtes über die Finsternis, der Sieg der Versöhnung über die Schuld, der Sieg der Liebe über den Tod.

Die Farbe des Lichtes

Ostersonntag

Die Symbolsprache der Liturgie, die an den drei Tagen der Feiern von Passion und Auferstehung Jesu so überreich zu Wort kam, scheint nun – am eigentlichen Osterfest – erschöpft zu sein. Das vieraktige Drama um die Zeichen von Brot und Wein, die Fußwaschung, die Kreuzmeditation vom Karfreitag, die nächtlichen Rituale um Licht und Finsternis, das Feuer und die Kerze, das Wasser und die Taufe – all das hat ein aufatmendes Ende gefunden, als mit dem ersten Osterjubel die Sonne aufging. Wenigstens nach der ursprünglichen Idee der Osterfeier ist der Sonnenaufgang des Ostermorgens das kosmische Symbol der Auferstehung, in das jenes dreitägige Spiel mündet, mit dem die Christen den Tief- und Höhepunkt dessen begehen, woran sie glauben: Sie gehen mit Christus durch Leid und Tod hindurch zu neuem Leben.

Der Festgottesdienst des Ostersonntags ist deshalb ein Innehalten, ein – man könnte sagen – verwundertes Verweilen beim leeren Grab. Verwundert, weil man das Wunder spürt, das im Wiederaufleben dessen besteht, was man zuvor scheitern gesehen hat. Das „Projekt Liebe" schien mit Jesus zum Tod verurteilt und gestorben zu sein. In ihm schien das nun schon Jahrtausende währende Scheitern der Liebenden mitgenommen zu sein. In der Leidensgeschichte des Karfreitags war die Leidensgeschichte unzähliger Versuche der Menschen, menschlich zu sein, inbegriffen. Das grundsätzliche Mißlingen all unserer Liebesversuche schien mit dem Tod des Jesus von Nazaret besiegelt.

Ostern ist nun keine billige Umkehrung dessen, was am Karfreitag geschehen ist. Ostern macht den Tod Christi ebensowenig ungeschehen, wie es unsere fragmentarische Liebesfähigkeit mit einem Schlag heil machen könnte. Ostern sagt nicht: Es ist gar nichts geschehen. Er war gar nicht tot. Ihr habt euch nur getäuscht. Geht wieder nach Hause und vergeßt alles! Im Gegenteil. Ostern sagt: Das Leid schmerzt wirklich, und der Tod ist echt. Unser Lieben bleibt oft vergeblich, und Unschuld gibt es kaum. Unsere Trauer ist angebracht und unsere Angst begründet. Aber über all das hinaus gibt es eine Hoffnung. Der Tod ist ein hartes Ereignis – aber er ist nicht das letzte Ereignis. Unsere Verurteilung mag ein gerechter Entscheid sein – aber es ist nicht das letzte Wort. Unsere Verzweiflung mag gute Gründe haben – aber die Hoffnung muß damit noch nicht verbraucht sein. Ostern wischt nicht mit einem Mal alle Tränen von den Augen der Menschen – aber es bezeugt die Hoffnung, daß einmal, ein für allemal, die Tränen weggewischt werden.
So versteht sich das zuvor gesagte Wort, daß der Ostergottesdienst ein verwundertes Verweilen am leeren Grab ist. Es ist ein verhaltener Jubel – kein brüllendes Fest, keine lärmende Siegesfeier. Wer Ostern recht verstanden hat, der ergibt sich nicht einer religiösen Fiktion, einer Illusion leidloser Existenz, einer billigen Vertröstung über die Ungereimtheiten unseres Lebens hinweg. Wer Ostern recht verstanden hat, für den ist es der erste Tag, an dem man nach einer langen Zeit des Aufruhrs wieder ruhig wird, nach einer Zeit der Trauer wieder eine Spur von Heiterkeit erfährt – das erste Mal, da man, vielleicht noch unter Tränen, lächeln kann.
In gewisser Weise ist Ostern auch ein trotziges Fest. Es protestiert gegen das Unheil. Es findet sich nicht ab mit unserem Leiden und Schuldigwerden, mit der Vergeblichkeit unseres Lie-

bens und dem Mißlingen unserer Versuche, gut zu sein. Im Wissen um unsere Schuld protestieren wir gegen jenes Verhängnis, das uns automatisch schuldig spricht. Im Bewußtsein unserer Sterblichkeit protestieren wir dagegen, daß der Tod das letzte Wort behält.

Wenn wir am Ostertag sozusagen verwundert am leeren Grab verweilen, dann ist damit auch jene Skepsis verbunden, die uns das Johannesevangelium vom Apostel Thomas berichtet. Geben wir es ruhig zu: Es ist eine sympathische Skepsis. Und man muß schon ein wenig naiv sein, um sie nicht auch ein wenig zu teilen. Wer die Botschaft vom auferweckten Jesus ohne jegliches Zögern, ohne jede Skepsis, ohne irgendeinen Einwand hinnimmt, hat sie vermutlich nicht oder nicht ganz begriffen. So sehen wir in Thomas eine geradezu heutige Gestalt. Er verkörpert symbolstark das Dilemma eines zeitgemäßen Glaubens: „Selig, die nicht sehen und doch glauben." Auch aus dieser Sicht ist Ostern ein Fest verhaltenen Jubels. Skepsis ist angebracht. Hoffnung auch.

Die Symbolsprache des Ostersonntags bedient sich keiner anderen Zeichen und Symbole als eine gewöhnliche Messe auch. Sie tut es bloß in besonders feierlicher Weise. Sollte man aber unbedingt ein einziges österliches Symbol nennen wollen, das von nun an die ganze fünfzigtägige Osterzeit kennzeichnen wird, dann ist es etwas zugleich so Unscheinbares, aber auch Bedeutungsschweres wie die Farbe Weiß. Es ist nicht nur die Farbe der liturgischen Gewänder, es war auch die Farbe jenes Kleides, das in den frühen Zeiten der Kirche die neugetauften, damals erwachsenen Christen nach der Taufe erhielten. So wie sie in der Taufe durch Untertauchen ganz und ohne Vorbehalt in das neue Leben als Christen eingetaucht sind, so hat sie auch ein weißes Kleid als ganzheitliches Zeichen für ihre neue Exi-

stenz umhüllt. In diesen weißen Kleidern sind sie nach der Taufe in die Kirche eingezogen und von der dort versammelten Gemeinde aufgenommen worden. Mit der Firmung und der Eucharistie wurde in derselben Nacht – in der Osternacht – ihr Christsein besiegelt. Eine Woche lang – bis zum Weißen Sonntag – trugen sie im Gottesdienst dieses weiße Gewand.
Beim Nachdenken über die Symbolik der weißen Farbe fällt auf, daß sie im landläufigen Sinn ja gar keine richtige Farbe ist. Man kann Weiß ja auch als Farblosigkeit verstehen. In der Antike mußte allerdings weißer Stoff durch aufwendige Bleichvorgänge hergestellt werden. Billig war ein braun-gelbliches oder graues Gewand, ein Tuch aus ungebleichter Naturfaser. Weiß – vor allem strahlendes Weiß – war etwas Besonderes, etwas Kostbares. Ähnlich teuer war nur noch ein purpurgefärbter Stoff. Weiß und Rot konnten sich arme Leute kaum leisten. Ein Fest in weißen Gewändern war auf jeden Fall ein besonderes Fest.
Seit wir nun etwas über die Physik des Lichtes wissen, verstehen wir auch die weiße Farbe neu. Wir sehen sie nicht mehr als bloße Farblosigkeit, sondern ganz im Gegenteil als die Summe aller Farben. Weiß ist deshalb nicht „keine" Farbe, sondern die Farbe des Lichtes. Die Farbe der Sonne. Und die wiederaufgegangene Sonne am Morgen steht gerade heute für den wiedererstandenen Christus unseres Glaubens. Deshalb kann man Weiß als österliche Farbe auch in der Reminiszenz der Symbole der Osternacht sehen: das Osterfeuer, die Osterkerze, der Sonnenaufgang zeigen die Farbe des Lichtes. Aber auch das Wasser – an sich nur farblose Materie – wird erst durch die Durchlässigkeit für das Licht und durch die Brechung des Lichtes zu jenem faszinierenden Element, das wir kennen.
Im Alten Testament wird eine Geschichte erzählt, in der Licht und Wasser zusammen eine symbolstarke Rolle spielen. Nach

der großen Flut, die alles Leben außerhalb der Arche Noachs vernichtet hatte, setzt Gott ein Zeichen dafür, daß er von nun an mit den Menschen verbunden bleiben will. Dieses Bundeszeichen ist der Regenbogen. Heute – da wir die physikalische Kausalität des Regenbogens kennen – würden wir sofort anmerken, daß die Farben des Bogens nichts anderes als ein aufgefächertes Weiß sind. Und wir könnten hinzufügen, daß ja alle Farben zusammen, also alle Bilder dieser Welt, nichts anderes sind als die aufgefächerte Farbe des Lichtes. In der Symbolik der Antike und des Orients war der Regenbogen einerseits eine Brücke zwischen Himmel und Erde, also zwischen Gott und den Menschen. Ein starkes Zeichen des Bundes Gottes mit der Menschheit. Zugleich aber trat der Regenbogen in der Regel nach einem Gewitter auf, jedenfalls bei einem Zusammentreffen von Licht und Wasser in den Sonnenstrahlen auf einer Regenwand. Die Vorstellung, daß der Mensch des alten Orients nach einem furchterregenden Gewitter endlich wieder Licht und die ersten Sonnenstrahlen sah, daß er nach überstandener Gefahr den Regenbogen erblickt – diese Vorstellung macht verständlich, weshalb mit diesem Anblick ein Aufatmen verbunden war. Und wenn damals der Mensch die Naturgewalten als den langen und vielleicht auch strafenden Arm Gottes ansah, dann wird verständlich, daß er beim Anblick des Regenbogens erleichtert sagte: Gott ist wieder gut zu uns. Er hat seinen Bund gehalten.
Was das Alte Testament im Zeichen des Regenbogens andeutet, ist die Urfrage aller Religionen: Was ist zwischen Gott und Mensch? Gibt es eine Brücke? Steigt der Mensch auf zu Gott, oder steigt Gott herab zu den Menschen? Oder ist Gott bloß ein unbeteiligter, letztlich zynischer Zuschauer der menschlichen Tragikomödie? Ist der Regenbogen als Zeichen des Bundes bloß frommes Wunschdenken?

Das Neue Testament versucht eine Antwort. Diese Antwort feiern wir zu Ostern. Und diese Antwort sagt: Gott wird Mensch. Oder in der Sprache der Bibel gesagt: Das Wort ist Fleisch geworden. Gott nimmt teil an der Tragödie des Menschen. Er lebt unser Leben und stirbt unseren Tod. Seither glauben die Christen nicht mehr an einen gnädig aus dem Himmel herabblickenden und uns huldvoll zuwinkenden Himmelvater, sondern an den Gott für uns, den Gott mit uns, den Gott unter uns.

Nicht der einsame Zuschauer im Weltentheater ist der Gott des Christentums, sondern der menschgewordene Gott. Liebe reicht über den Tod hinaus. Seine Liebe vermag unserem Leben einen Sinn zu geben, der angesichts des Todes bestehen kann. Mit Johannes gesagt: „Wir sind vom Tod zum Leben gekommen, weil wir einander lieben. Wer nicht liebt, bleibt im Tod." In der Sprache der Theologen gesagt: „In Jesu Tod und Auferstehung ist Sünde und Tod besiegt, ist das Tor zum Himmel geöffnet." In der Sprache des nächtlichen Osterlobs gesagt: „O wahrhaft selige Nacht, die Himmel und Erde versöhnt, die Gott und Menschen verbindet!" In dieser Nacht wurden die Farben des Regenbogens als Zeichen des Bundes wirksam. Die Welt erscheint uns neu in der Farbe des Lichtes.

Nachspiel in der Kammer

Weißer Sonntag

Der Sonntag nach Ostern beendet die Festwoche, die Oktav, mit der von altersher die Auferstehung Christi gefeiert wurde. Im neuen liturgischen Kalender heißt dieser Tag bemerkenswerterweise „Zweiter Ostersonntag“ – womit angedeutet wird, daß genaugenommen jeder Sonntag, vor allem in der Osterzeit, ein Gedenktag der Auferstehung ist. Im volkstümlichen Sprachgebrauch wird es zwar weiterhin beim Sonntag „nach Ostern“ bleiben, doch die Erinnerung mag ihren Sinn haben: Wir Christen haben den wöchentlichen Feiertag vom jüdischen Samstag, dem letzten Tag der Woche, auf den darauffolgenden ersten Wochentag verschoben, weil wir uns an Ostern erinnern. Und der ursprüngliche Meßtermin war tatsächlich der frühe Morgen vor dem Sonnenaufgang. Anschließend ging man an die Arbeit, wenigstens solange sich der Sonntag als arbeitsfreier Feiertag noch nicht durchgesetzt hatte.

So wurde aus dem jüdischen „Wochenende“ am Sabbat zur Erinnerung an den siebenten Tag, den Ruhetag der Schöpfung, der christliche Wochenbeginn am Sonntag zur Erinnerung an jenen ersten Wochentag, an dem die Frauen zum Grab Jesu kamen und von der guten Nachricht seiner Auferweckung überrascht wurden. So wollten die Christen dem jüdischen Sabbat, als letztem Tag der „alten Schöpfung“, den Sonntag, als ersten Tag der „neuen Schöpfung“, entgegensetzen. (Man spürt hier noch den alten Gegensatz von Juden- und Christentum und ist heute vielleicht auch nicht ganz glücklich mit dieser – historisch verständlichen – Zuspitzung.) Tatsächlich hat jedoch unser heuti-

ges Lebensgefühl mit dieser Umkehrung der sonntäglichen Bedeutung nicht mitgespielt. Denn man spricht selbstverständlich vom „Wochenende", an dem man sich von der Last der Arbeitswoche erholt – und nicht vom „Wochenbeginn", an dem man für die Arbeitswoche Kräfte sammelt (obwohl man das ja ebenfalls tut). So bleibt – wie so oft – das Wissen um diese Zeitsymbolik des christlichen Kalenders wenigen Eingeweihten vorbehalten.
Der wirklich volkstümliche Name des ersten Sonntags nach Ostern, oder des zweiten Ostersonntags, lautet jedoch ganz anders: Die Bezeichnung „Weißer Sonntag" ist viel älter als die verschiedenen Liturgiereformen (und wahrscheinlich klüger als viele Liturgiereformer) und weist auf den frühchristlichen Brauch hin, nach der Taufe in der Osternacht den Täuflingen weiße Kleider zu übergeben, die sie nun eine Woche lang zu tragen hatten – eben bis zum Weißen Sonntag. Lange Zeit hindurch war und ist dieser Sonntag in vielen Gebieten auch der Termin für die Erstkommunion und dadurch auch mit den weißen Kleidern der Mädchen assoziativ verbunden. Wie auch immer – die sinnliche Empfindung des weißen Kleides hatte über Jahrhunderte hin eine stärker prägende Kraft als die nüchternen Überlegungen einiger Theologen.
Das Evangelium des Weißen Sonntags ist in allen drei Lesejahren gleich – und das mit gutem Grund. Enthält es doch die „Kammer-Version" der Osterbotschaft, einen nur im späten Johannesevangelium überlieferten Text von besonderer Kostbarkeit. Die anderen Ostertexte der Bibel spielen durchwegs im Freien, vor dem offenen Grab, unterwegs nach Emmaus, am See von Tiberias, am Berg der Himmelfahrt. Doch diese Bibelstelle erzählt von einem Raum hinter den aus Angst vor den Juden verschlossenen Türen – wie Johannes im 20. Kapitel ausdrück-

lich vermerkt. Und dort ereignet sich jene Szene, die aus der Zeit der ersten Jahrhundertwende (in der dieses Evangelium abgefaßt wurde), zurückblickend auf das Osterereignis, erzählt wird.

Es ist jene Begebenheit, die dem heutigen, kritischen und doch nach Lebenssinn suchenden und sehnsüchtigen Menschen häufig so sympathisch erscheint: die Geschichte vom ungläubigen Thomas. Vielleicht sollte man statt „ungläubig" eher „skeptisch" sagen. Es ist letztlich die Glaubenssituation des Menschen, zwei bis drei Generationen nach Jesus, der an etwas und an jemand glauben will, ohne auf eigene Anschauung, Begegnung und Berührung bauen zu können. Vielleicht hat er einem alternden Apostel und Augenzeugen Jesu noch zurufen können: Du hast es leicht zu glauben. Du konntest ihn sehen, ihm zuhören, ihm Fragen stellen, ihn berühren. Aber ich …

Die Antwort lautet, als wäre sie uns heute gesagt: „Selig, die nicht sehen und doch glauben."

Das ist der Epilog zu den Ereignissen von Ostern. Seither gibt es nur mehr Menschen wie Thomas, die nicht sehen und doch glauben. Die Rede vom „ungläubigen" Thomas tut dem Apostel unrecht. Er ist nicht ungläubig, sondern so wie wir: Voll Sehnsucht, glauben zu können – und dennoch zweifelnd. Voll guten Willens, zu glauben – und dennoch schwach. Voll bester Absicht, zu glauben – und dennoch skeptisch. Würde Thomas heute leben – und in vielen von uns lebt er –, dann würde er Schwierigkeiten haben mit jenen, die von der „unverkürzten Lehre" sprechen. Denn ihm wäre bewußt, daß menschliches Nachdenken über Gott immer die Unermeßlichkeit Gottes auf unsere bescheidene Kapazität verkürzen muß. Er würde sich vielleicht sträuben gegen die Definitionswut formelbesessener Dogmatiker. Denn ihm wäre klar, daß man Gott nicht in Defini-

Johannes Baptist Cima da Conegliano, Der ungläubige Thomas (Ausschnitt)

tionen eingrenzen und in Dogmen einfangen kann. Und vielleicht würde er schmunzeln über jene, die meinen, ihre Weisheit über Gott zwischen Buchdeckeln wie einen Schatz hüten und vor allen möglichen und erdachten Angreifern schützen zu müssen.

Die biblische Lektion vom skeptischen Thomas hat eine entscheidende Aussage – gerade für den skeptischen Zeitgenossen. Jesus sagt zu seinem Freund und Apostel: Streck deine Finger aus – hier sind meine Hände! Streck deine Hand aus und leg sie in meine Seite! Anders gesagt: Laß dich doch berühren!

Unsere Sprache kennt die doppelte Bedeutung von „berühren“ und „ergreifen“. In diesem Sprachspiel gesagt, könnte die Aufforderung Jesu lauten: Solange du dich damit abplagst, mich begreifen und ergreifen zu wollen, wirst du mich verfehlen. Mich kann man nicht ergreifen, festhalten und endgültig besitzen. Aber du kannst dich von mir berühren lassen. Ich werde dir meine Hand entgegenstrecken. Und wenn du dich von mir ergreifen läßt, werde ich dir mehr gehören, als wenn du besitzgierig nach mir greifst.

Das österliche Nachspiel in der verschlossenen Kammer erzählt uns letztlich über das Wesen jener Liebe, die nur gelingt, wenn man nicht gierig zugreift, um besitzen zu können – die sich aber erfüllt, wenn man gelassen die Hand ausstreckt, um sich berühren zu lassen.

Zweites Osterfest

Christi Himmelfahrt

Die beiden Hauptfeste der Christenheit, umrahmt von den beiden Festkreisen des Kirchenjahres, haben eine eigenartige Verdopplung gemeinsam. Sie werden tatsächlich je zweimal gefeiert. Die heutige Benennung verschleiert das ein wenig. Doch Weihnachten und das „Dreikönigsfest“ haben den gleichen Anlaß und Festgedanken – die Erscheinung des Herrn. Und ebenso verhält es sich mit Ostern und Christi Himmelfahrt – sie feiern die Erhöhung des Herrn.

Was in der abgehobenen Kirchensprache ein wenig verfremdet klingt – Erscheinung und Erhöhung –, meint die „Eckdaten“ des Lebens Jesu unter der Perspektive, daß er als Sohn Gottes verstanden wurde. Seiner göttlichen Herkunft gemäß mußte er ja einmal unter den Menschen „erscheinen“ und letzten Endes auch wieder in seine göttliche Bestimmung „erhöht“ werden. Die beiden Doppelfeste markieren also Jesu „Auftreten“ und ebenso sein „Abtreten“.

Das mag ein wenig wie Theatersprache anmuten, wie ein Schauspieler, der in einer bestimmten Rolle in Erscheinung tritt und dann die Bühne wieder verläßt. Und tatsächlich gab es unter den vielen Versuchen, das Ereignis Jesu in sprachlichen Metaphern zu erfassen, auch die Denk- und Sprechmodelle aus der antiken Theaterwelt. Ihnen verdanken wir ebenso die Begrifflichkeit, daß in Gott drei „Personen“ vereinigt wären, wie auch die Bezeichnung der beiden Hochfeste. (Obgleich die spätantike Theorie über den in drei Rollen auftretenden einzigen Gott als „Modalismus“ verurteilt wurde und sich die beiden

Festesnamen „Erscheinung" und „Erhöhung" nicht wirklich durchsetzen konnten.)
In der Weihnachtszeit ist das zweite Fest das ältere und wurde in der späteren Überlieferung durch die Legende der Heiligen Drei Könige sozusagen „übermalt". Deshalb erscheint es vielen Gläubigen wie in einer Fortsetzungsgeschichte als Folgefest von Weihnachten. Bei Ostern verhält es sich umgekehrt. Christi Himmelfahrt ist das jüngere Fest und wurde ursprünglich gemeinsam mit Pfingsten am Ende der österlichen Festzeit gefeiert. Erst später brachte man diese drei Feste in Art einer Chronologie in eine scheinbare, durch die Bibeltexte keineswegs geforderte Abfolge. So ergab sich für Jesus nach seiner Auferstehung eine sozusagen zweite kurze Biographie – vom Ostersonntag über die Himmelfahrt und zuletzt sein „Abschiedsgeschenk", die Geistsendung zu Pfingsten.
Genaugenommen feierte man an allen drei Festen die „österliche Urerfahrung" der ersten Christengemeinde: Er ist nicht mehr da und doch auf eine andere Weise weiterhin unter uns. Die mythische Redeweise jener Zeit fand verschiedene Bilder, in denen sie das erzählen konnte. Er kam durch verschlossene Türen, erschien mal da und mal dort, er wanderte unerkannt weite Strecken mit alten Bekannten, um sich an einer Geste, dem Symbol des Brotbrechens, erkennen zu lassen. Er aß, trank und ließ sich berühren, war aber dennoch nicht faßbar und eindeutig zu identifizieren – ja, eine enge Freundin hält ihn am Ostermorgen für einen Gärtner. Was sich heute wie ein wirres Spiel um Schein und Trug, wie eine Mystifikation anhört, war dem Hörer und Leser von damals durchaus vertraut: Es waren die Erfahrungen mit einem Jesus, der zugleich an- und abwesend ist, den man nicht fassen kann, aber dennoch spürt, der auch über seinen Weggang hinaus wirkt, inspiriert und verändert.

Friedrich Zollner, Gradualien: Christi Himmelfahrt

Die späteren theologischen Theorien über den verklärten Leib Jesu, über die Himmelfahrt und über die dritte göttliche Person, den Heiligen Geist, sind Denk- und Sprechversuche, die umso ausufernder nötig wurden, je mehr die ursprüngliche Erfahrung verblaßte. Diese Erfahrung spricht sich vielleicht am eindringlichsten im letzten Satz des Matthäusevangeliums aus: „Seid gewiß – ich bin bei euch alle Tage bis zum Ende der Welt." Dieser Satz kann auch wie das heimliche Thema, nicht nur der österlichen Zeit, sondern der ganzen christlichen Botschaft, gelesen werden. Ist es nicht die Antwort auf die letzte Frage eines jeden Menschen, der über Gott nachdenkt. Bedeuten wir ihm überhaupt etwas – oder amüsiert, langweilt, ärgert er sich mit und über uns?
Es liest sich in den letzten Versen des Matthäusevangeliums so, als wäre das Resümee all dieser Geschichten um Jesus, um sein Leben und seine Lehre, um sein Sterben und seine Auferweckung, bloß dieser eine Satz: „Seid gewiß – ich bin bei euch alle Tage bis zum Ende der Welt." Und wer die Bibel kennt, weiß, daß es nur Nachklang und Bekräftigung der einen Zusicherung ist, die schon die hebräische Bibel in vielerlei Formulierungen durchzieht: „Fürchte dich nicht – ich bin bei dir."
An jener Stelle, an der das Matthäusevangelium mit diesen programmatischen Worten abbricht, erwartet sich der mit den christlichen Traditionen vertraute Leser die Himmelfahrt – etwa mit den Worten: und nachdem er das gesagt hatte, erhob sich... Tatsächlich schließen mit ähnlichen Worten Markus und Lukas ihr Evangelium. Und letzterer beginnt damit auch seine Apostelgeschichte. Bei Matthäus bleibt die Himmelfahrt unausgesprochen, obwohl sie ja die Voraussetzung des Satzes ist, daß er bei uns bleiben wird bis zum Ende der Welt. Denn wäre er wirklich und leibhaftig geblieben, gäben diese Worte keinen Sinn.

Der Weggehende tröstet mit den Worten, daß er trotz allem bleibt. Der Abwesende verspricht seine Anwesenheit – in welcher Weise auch immer. Der Scheidende verspricht seine Wiederkunft. Nach der Vorstellung der frühen Christen bleiben sie nun als „Waisen" zurück. Sehnsüchtig „nach oben" blickend. Und sie werden sich von nun an trösten mit dem Gedanken: „Unsere Heimat ist im Himmel." Die Hoffnung des Christen ist bloß eine andere Form von Heimweh.
Was sich hier ein wenig naiv liest und nach frommen Sprüchen klingt, sind biblische Bilder von der letzten Bestimmung des Menschen. Und die verwendeten Begriffe von „oben und unten", von „Himmel und Erde" sprechen nur scheinbar in der Sprache der Geographie. Tatsächlich sprechen sie von der Geographie der Seele. Die Bilder vom Himmel meinen nichts anderes als die menschheitsalte Sehnsucht nach Heimat, Frieden und Geborgenheit. Wo immer der Mensch das findet, hat er seinen Himmel – wenigstens vorübergehend – gefunden. Wonach immer er sich sehnt – es zieht ihn zu einem Ziel, als hätte seine Seele einen Kompaß.
Es ist schon eigenartig, daß wir die biblischen Bilder von der Sehnsucht der Irdischen nach dem Himmel gerne belächeln – uns aber von den gleichen Bildern in der Kunst durchaus anrühren lassen. Wer die Symbolsprache der Bibel kennt, erkennt sie auch wieder, wenn Eichendorff davon redet, daß „der Himmel die Erde still geküßt" habe. Und er erkennt die Verwandtschaft mit der christlichen Botschaft, wenn der Dichter von der Seele spricht, die „weit ihre Flügel" ausspannt – „als flöge sie nach Haus".
Die Bilder aus der Geographie der Seele erkennen die Erde als Ort unsrer Lebenswanderung und den Himmel als Heimat und Ziel.

Sturm und Feuer

Pfingstsonntag

In frühchristlicher Zeit wurde Ostern fünfzig Tage lang gefeiert. Damit stand man mehrfach in jüdischer Tradition. Nach jüdischem Brauch feierte man den Sabbat bereits mit dem Sonnenuntergang des Vorabends, fügte wichtigen Feiertagen einen zweiten hinzu und dehnte besonders bedeutsame Feste auf sieben und sogar bisweilen auf fünfzig (sieben mal sieben) Tage aus. Ebenso wie das christliche Ostern auf das jüdische Pascha (oder Pesach) zurückgeht, hat Pfingsten im jüdischen Pfingstfest (ursprünglich: Pentekoste = der fünfzigste Tag) seinen Ursprung. In ähnlicher Weise pflegte man sich auch auf große Feste drei Tage oder gar eine Woche lang vorzubereiten. Im christlichen Kalender finden sich solche Gepflogenheiten im dreitägigen österlichen „Triduum“, in der einwöchigen „Oktav“ nach einem Fest oder in der vorbereitenden neuntägigen „Novene“ (beispielsweise der Pfingstnovene).

Im Bewußtsein der Gläubigen spielen heute solche Kalendergepflogenheiten kaum mehr eine Rolle. Man nimmt vielleicht noch den zweiten Feiertag an den Hochfesten Weihnachten, Ostern und Pfingsten gerne hin, weil er ein zusätzlicher arbeitsfreier Tag ist – doch die religiöse Bedeutung hat sich weithin verloren. In früheren Zeiten waren jedoch solche erweiterten Festbereiche durch Messen, Andachten und Prozessionen hervorgehoben und bedeuteten gerade der einfachen und arbeitenden Bevölkerung sehr viel. Denn durch sie wurden in das urlaubslose Arbeitsjahr und die strenge Sechstagewoche immer wieder zusätzliche Feiertage eingebracht oder wenigstens durch die kirchlichen Verpflichtungen arbeitsfreie Stunden im mühsamen Alltag erwirkt.

Die Anlehnung des christlichen an das jüdische Pfingstfest bewirkte, daß der Abschluß der fünfzigtägigen Osterfeier zu einem eigenen Fest mit Vorbereitungszeit und nachfolgender Oktav wurde. Und der Festinhalt verlor allmählich seinen österlichen Charakter. Im Bewußtsein vieler Christen ist Pfingsten ein Firmtermin und hat mit Ostern nicht mehr viel zu tun. Die Herabkunft des Heiligen Geistes wird zu einem allein für sich stehenden Ereignis. Das Gegenteil ist jedoch der Fall. Die Pfingstgeschichte ist nur eine andere Weise darzustellen, worum es in der Auferstehung eigentlich geht.

Die Gepflogenheit der christlichen Überlieferung, die verschiedenen Bibeltexte über Jesus in eine chronologische Reihenfolge zu bringen, um auf diese Weise eine Abfolge in den Fragmenten aus dem Leben Jesu zu zeigen und letztlich sogar die Fiktion zu bewirken, im Kirchenjahr würde das Leben Jesu von der Geburt bis zur Himmelfahrt alljährlich „nachgespielt", hat diese Tendenz verstärkt. Es ist eben leichter, sich eine biographische Abfolge vorzustellen, als sich bloß abstrakt an die verschiedenen Grundpfeiler der christlichen Lehre zu halten. Während die Bibel Geschichten von Jesus erzählte, um damit seine Lehren und Ideen zu illustrieren, wollte man später dieselben Geschichten ordnen, um einen chronologischen Lebensablauf darstellen zu können. Bis heute hindert das viele Menschen, die Evangelien wirklich zu verstehen. Sie fragen bloß: Was ist damals passiert? Und sie fragen selten: Was wird mir damit gesagt?

Das Evangelium von Pfingsten zeigt deutlich: Es ist ein Osterevangelium – jene Stelle aus dem zwanzigsten Kapitel bei Johannes, die wir schon vom Weißen Sonntag her kennen – in der Abfolge des Textes kurz vor der Erzählung vom ungläubigen

Thomas. Nach dem Gruß „Friede sei mit euch!" – so schreibt der Bibeltext – „. . . hauchte er sie an und sprach zu ihnen: Empfanget den Heiligen Geist!" Dieser Bibelabschnitt hatte mit den Worten begonnen: „Am Abend dieses ersten Tages der Woche, als die Jünger aus Furcht vor den Juden die Türen verschlossen hatten, kam Jesus . . ." Die Rede ist vom Abend des Ostertages. Das Pfingstevangelium ist ein Osterevangelium!

Das, was später die Theologen die „Geistsendung" nennen würden, ist ein Ereignis, das sich losgelöst von Ostern nicht verstehen ließe. Und die verschiedenen Bibeltexte, die davon sprechen, siedeln sie zeitlich verschieden, aber alle nach der Auferstehung an. Deshalb sprechen die Theologen vom „nachösterlichen Jesus". Man könnte die Erfahrung, die damit gemeint ist, knapp so umschreiben: Jetzt, da Jesus nicht mehr unter uns weilt, spüren wir dennoch, wie sein Geist unter uns wirkt. Um es doch auch in der herkömmlichen Sprache der Chronologie zu sagen: Seine Biographie ist zwar abgelaufen, doch sie ist nicht zu Ende. Oder: Wenn du nach seiner menschlichen Gestalt fragst, mußt du in die Vergangenheit blicken – doch wenn du ihn selbst suchst: er ist da. Hier und jetzt.

Eigenartigerweise spielt das populärste Symbol für den Heiligen Geist – die Taube – am Pfingstfest überhaupt keine Rolle. (Wenn man von dem aus der Barockzeit berichteten Brauch absieht, die Figur einer Taube an einem Strick aus einem Loch in der Kirchendecke auf die Gemeinde herabsinken zu lassen. Auch der analoge Brauch, die Statue des Auferstandenen zu Ostern aus ebendergleichen Öffnung herabzulassen und sie zu Christi Himmelfahrt wieder aufzuziehen, würde uns heute bloß amüsieren.) Die Symbole des Festes – wie sie uns die Apostelgeschichte im zweiten Kapitel nennt – sind der Sturm und das Feuer. Das erste Symbol erklärt sich auch daraus, daß im He-

El Greco, Ausgießung des Heiligen Geistes (Ausschnitt)

bräischen für Hauch und Geist dasselbe – übrigens ein weibliches – Wort verwendet wurde. Der Bibelkundige erinnert sich an den Geist Gottes, der am Beginn der Schöpfung über den Wassern schwebte, an den Atem Gottes, der den aus dem Erdboden geformten ersten Menschen belebte, und an den Ostwind, der beim Exodus aus Ägypten das Schilfmeer austrocknete, um die fliehenden Israeliten zu retten. Beim Feuer erinnert man sich an den brennenden Dornbusch und die Feuersäule, in der Gott Israel durch die Wüste führte.

Beide Bilder offenbaren eine starke Ambivalenz: Sowohl der Wind als auch das Feuer sind zugleich wohltuende und vernichtende Kräfte, die der Mensch zugleich braucht und fürchtet. So zeigt sich in dieser Symbolik der Geist Gottes als einer, der uns kräftigen und motivieren, aber auch herausfordern und richten kann: belebender Hauch und gefährlicher Sturm – wärmendes Feuer und verbrennende Glut.

Das volkstümliche Symbol der Taube hingegen hat seinen Ursprung in der Geschichte von der Taufe Jesu. Und diese vom Himmel herabschwebende Taube ist eine jüdische Assoziation mit der Geschichte von der Sintflut, in der Mose die Taube mit dem Ölzweig als Symbol des Friedens Gottes mit seiner Schöpfung erlebt.

Und hier schließt sich ein bemerkenswerter Kreis von österlichen Friedenssymbolen: In der erwähnten Ostergeschichte des Johannes, die sowohl zu Ostern als auch zu Pfingsten als Evangelium dient, haucht Jesus die ängstlich in der verschlossenen Kammer versammelten Jünger an und spricht: „Friede sei mit euch . . . Empfanget den Heiligen Geist! Wem ihr die Sünden vergebt, dem sind sie vergeben; wem ihr die Vergebung verweigert, dem ist sie verweigert."

Die Friedensbotschaft dominiert das Osterfest: der Friede Gottes

mit den Menschen, der Friede der Menschen untereinander und der Friede des Menschen mit sich selbst. Und beides hat eine wesentliche Voraussetzung: die Versöhnung. Die Versöhnung mit Gott, mit den Mitmenschen und mit sich selbst. Anders gesagt: Friede ist nur möglich, wenn Gott uns vergibt, wenn wir einander vergeben und wenn wir uns selbst vergeben können. (Und das Dritte ist manchmal am schwersten.) Friede kann ohne Versöhnung, kann ohne Vergebung nicht gelingen.
Die katholische Theologie hat diesen Satz von der Vergebung leider im Laufe der Zeit allzu sehr auf die sakramentale Buße durch den Priester eingeengt, sodaß viele Christen gar nicht mehr auf die Idee kommen, sie selbst wären durch diesen Satz zur Versöhnungsbereitschaft aufgerufen. Doch der Bibeltext kennt diese Einschränkung auf Amtsträger nicht. Er sagt vielmehr geradezu drohend: Wenn ihr einander vergebt, so gilt diese Vergebung auch vor Gott. Also versöhnt euch! Denn wenn ihr einander die Vergebung verweigert, dann bleibt euch eure Schuld.
Es wird selten bemerkt, daß die Weihnachtsbotschaft mit der Osterbotschaft gerade durch diesen Friedenswunsch verbunden ist. Die Nachricht der Engel auf dem Hirtenfeld lautet nach Lukas: „Friede den Menschen auf Erden!“ Und der Gruß des Auferstandenen am Osterabend heißt: „Friede sei mit euch!“ Angesichts der Geschichte der Christenheit und in Anbetracht der jeweiligen Weltlage fällt es vielen Menschen Jahr für Jahr schwer, diese Feste zu feiern. Und das hat sein Gutes. So werden diese Feste – hoffentlich – zu keiner harmlosen religiösen Idylle, zu keinem Beschwichtigungsfest, zu keinem betäubenden Gift. So bleibt diesen Festen die subversive Kraft des Protestes erhalten, die der biblischen Botschaft ursprünglich eigen war. Wo dieser Protest gegen den Haß, die Ungerechtigkeit, ge-

gen die Schuld und den Tod lebendig bleibt, wirkt Gottes Geist: als belebender Atem, als drängender Sturmwind, als begeisterndes Feuer.

So schließt der Osterfestkreis, der im Zeichen der Asche und mit einer Einübung ins Sterben begann, mit den stürmischen und feurigen Symbolen jenes Geistes, der auf ein unzerstörbares Leben jenseits des Todes hoffen läßt.

Nachwort

Liebe Leserin – lieber Leser!

Dieses Buch über die Zeichen und Symbole des Osterfestkreises ist eigentlich die Weiterführung eines analogen Buches über den Weihnachtsfestkreis:
„Wohl zu der halben Nacht", Zeichen und Symbole um Advent und Weihnachten, Tyrolia 1994

Doch die Vorgeschichte ist eine andere. Während das Weihnachtsbuch aus der Erfahrung vieler adventlicher Konzerte, Gottesdienste und Feierstunden, die ich als Musiker und Seelsorger erlebte, gewachsen ist, entstand dieses Buch aus einer Einladung, die mir vor Jahren die deutschsprachige Abteilung von Radio Vatikan zukommen ließ. Auf diese Einladung hin schrieb ich vier längere Textbeiträge, die zwischen Gründonnerstag und Ostersonntag gesendet wurden. Für dieses Buch habe ich diese vier zentralen Abschnitte überarbeitet und um die anderen sechs Kapitel erweitert.
So liegt ein Buch vor Ihnen, das Ihnen die Symbolsprache des höchsten Festes der Christenheit aufschließen will. Im Schatten des von der Wirtschaft in Beschlag genommenen Weihnachtsfestes verursacht Ostern zwar weder so viel Umsatz noch so viel Aufsehen wie das Fest der Geburt Christi, ist aber vielleicht gerade deshalb noch eine weniger ausgebeutete und mißbrauchte Fundstätte für jene Zeichensprache, in der sich das Unaussprechliche ausspricht.

Peter Paul Kaspar

Abbildungsnachweis

S. 19: Photostudio Toni Ott, Landshut
S. 27: Hubert Walder, Brixen
S. 33: Diözesanbildstelle Linz
S. 41: Diözesanbildstelle Linz
S. 57: Hubert Walder, Brixen

Ich danke auch diesmal Dr. Hans Hollerweger, Professor für Sakramententheologie und Liturgiewissenschaft an der Katholisch-Theologischen Hochschule Linz, für die freundschaftliche und fachliche Beratung.

Peter Paul Kaspar

Wohl zu der halben Nacht

Zeichen und Symbole zu Advent und Weihnachten
84 Seiten mit zwölf Farbbildern, gebunden
ISBN 3-7022-1941-2

Mit bedenkenswerten Texten und aussagekräftigen Bildern erschließt Peter Paul Kaspar die Höhepunkte des Weihnachtsfestkreises. Der bekannte Autor deutet Texte, Zeichen und Symbole in ihrer ergreifenden Tiefe und – manchmal verborgenen – Schönheit.
Das ansprechende und engagierte Buch eröffnet neue Zugänge zur weihnachtlichen Botschaft und zum Geheimnis der Menschwerdung.
Entscheidende Grundlagen des Christseins werden in ihrer symbolträchtigen Aussagekraft aufgegriffen, und der Leser bzw. Betrachter kann neue Kraft schöpfen aus den tiefsten Quellen seines Glaubens.

Peter Paul Kaspar/Anna Porizka

Wasser ist Leben

104 Seiten mit 24 doppelseitigen Farbbildern,
Leinen mit Schutzumschlag
ISBN 3-7022-1759-2

„Dieses hervorragende Buch ist in Wort und Bild eine Reise in die Kulturgeschichte des Wassers. Eindrucksvolle, künstlerische Fotos und meditative, poetische Texte zeigen in sehr verschiedenen Betrachtungsweisen, daß Wasser unser Leben begleitet und zugleich ein Symbol für unser Leben ist.“ (Stadt Gottes)

„Der Autor unternimmt eine Reise durch die Kulturgeschichte und die Symbollandschaft des Wassers ... Die ausdrucksstarken Farbfotos und die ausgewählten Texte eignen sich besonders zum Eintauchen, Nachdenken und Meditieren. Ein in Text und Form anspruchsvolles Buch.“ (Büchereinachrichten)

„Die Bilder der bekannten Fotografin Anna Porizka führen dem Leser die Wunder des Wassers in seinen vielfältigsten Formen faszinierend vor Augen – ein bibliophiles Meisterwerk.“

(Erdkreis)